조조레온

문학동네

JOJO'S BIZARRE ADVENTURE PART 8 JOJOLION 19

©2011 by LUCKY LAND COMMUNICATIONS / SHUEISHA Inc.
All rights reserved.

First published in Japan in 2011 by SHUEISHA Inc., Tokyo.
Korean translation rights in Republic of Korea arranged by SHUEISHA Inc.
through Shinwon Agency Co., Ltd. and Sakai Agency Inc.
Korean edition, for distribution and sale in Republic of Korea only.

volume
19
정형외과 의사 ― 우 토모키 선생

죠 죠 리 온

JoJolion ★★★★★ ★ 죠죠의 기묘한 모험 *Part 8*
Jojo's bizarre adventure

 아라키 히로히코
Hirohiko Araki & Lucky Land Communications

Jojo's bizarre adventure, part 8

★★★★★
JoJolion
★

모리오초 인물 소개

히가시카타 죠스케(추정 19세)

'벽의 눈'에서 발견된 신원 불명의 청년. 어깨에 별 모양의 반점이 있다. 히가시카타가에 거둬져 '죠스케'라는 이름을 얻는다. 죽은 키라 요시카게의 육체와 일부 융합한 '쿠죠 죠세후미'였음이 판명됐다. 기억은 아직 돌아오지 않았다.

히로세 야스호(19)

모리오초에 사는 대학생. '벽의 눈'에서 우연히 발견한 죠스케의 신원을 알아내고자 행동을 함께 한다.

쿠죠 죠세후미(19)

어렸을 적 키라의 어머니 홀리가 목숨을 구해준 청년. 홀리를 위해 로카카카를 훔친다는 키라의 계획에 협력했다.

키라가 죽음의 문턱에서 로카카카를 먹은 결과, 몸의 일부가 죠세후미와 융합

◇◇◇◇◇◇◇◇◇◇◇◇◇◇◇◇◇◇◇◇◇◇

키 라 家

키라 요시테루

키라 홀리 죠스타(52)

키라 요시카게의 어머니. TG대 병원에 입원중.

니지무라 케이(22)

키라 요시카게의 여동생. 히가시카타가의 비밀을 알아내기 위해 가정부인 척 숨어들었다.

키라 요시카게(29)

어머니의 병을 낫게 하기 위해 로카카카의 가지를 바위 인간에게서 훔쳤지만, 나중에 그 사실이 발각되어 살해당했다. 집념은 성인

히
가
시
카
타
家

히
가
시
카
타
카
토
(52)

노리스케의 전처이자 죠빈 남매
의 어머니. 살인죄로 15년간 복역
했다.

히
가
시
카
타
노
리
스
케
(59)

히가시카타가의 가장. 히가시카
타 청과의 제4대 점주.

히가시카타 다이야(16)

히가시카타가의 차녀. 죠스
케를 좋아한다.

히가시카타 죠슈(18)

히가시카타가의 차남. 야스
호의 소꿉친구로 같은 대학에
다닌다. 야스호를 좋아한다.

히가시카타 하토(24)

히가시카타가의 장녀. 모델.

지난 줄거리

로카카카의 열매를 수확할 수 있는 유일
한 인물, 마메즈쿠 라이(식물감정인)와
접촉하는 데 성공한 죠스케. 갑자기 습격
해온 새로운 바위 인간, 어반 게릴라를
격파한 뒤 죠스케와 마메즈쿠는 접목된
'로카카카의 가지'가 있는 히가시카타가
과수원으로 향한다.
그러나 과수원에는 '가지'를 노리는 바위
인간 푸어 톰의 함정이 기다리고 있었다!
설상가상으로 죠빈과 츠루기도 '가지'를
손에 넣고자 달려드는데… '로카카카의
가지' 쟁탈전의 향방은…?!

히가시카타 미츠바(31)

장남 죠빈의 아내.

히가시카타 죠빈(32)

히가시카타가의 장남. 매
일매일이 여름방학인 것
처럼 사는 타입.

히가시카타 츠루기(9)

장남 죠빈과 미츠바의 아
들. 액막이를 위해 여자애
차림으로 지내고 있다.

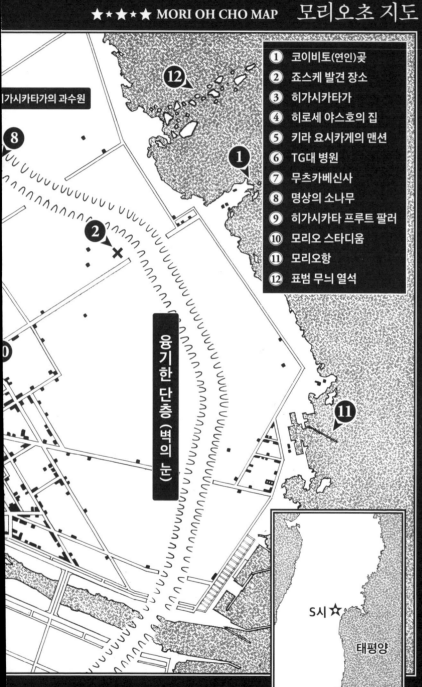

★★★★ MORI OH CHO MAP 모리오초 지도

①	코이비토(연인)곶
②	죠스케 발견 장소
③	히가시카타가
④	히로세 야스호의 집
⑤	키라 요시카게의 맨션
⑥	TG대 병원
⑦	무츠카베신사
⑧	명상의 소나무
⑨	히가시카타 프루트 팔러
⑩	모리오 스타디움
⑪	모리오항
⑫	표범 무늬 열석

가시카타가의 과수원

융기한 단층 (벽의 눈)

S시 ☆

태평양

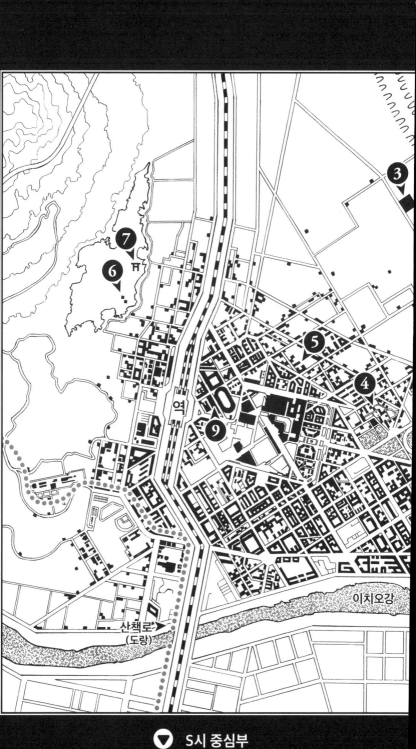

S시 중심부

차례★
정형외과 의사 — 우 토모키 선생

volume
19

#075
오존 베이비의
가압 加壓 ③

소년의 부모님이 기른
'배'는 고급스러운
단맛으로
높은 평가를 받아
품평회에서 수상,

과수원의 매상은
가을이
끝날 무렵의
매출만 해도
8천만 엔에
달했다.

야생
일본원숭이나
배에 치명적인
해충이 번진
탓도 아니었다.

동업자들이
재배 방법을
알아냈기
때문이다.

태풍이나
가뭄 같은
기후 탓도
아니고

그러나
부모님이
과수원 경영에
실패한 것은

궁지에 몰린 아버지와 그는— 과수원을 포기할 수밖에 없었다.

그들은 밤중에 찾아왔다.

여름도 다 간 어느 이른 아침— 지난해 겨울부터 공들였던 나무에 가봤더니

약탈자들은 금융업자와도 한패였다.

가지에는 배가 하나도 남아 있지 않았다.

나무도 베어진 채 쓰러져 있었다.

고오오오오오오

왱- 왱- 왱-

어릴 적부터
성미가 까다롭고
남과 어울리기
싫어했던 소년은

ゴゴ

부모님의
실패를
용납하지
못하고─
운명을
저주하며

ゴ 고오오오오오오오오

그리고 소년이
고원에서 재배한
딸기가 처음으로
팔린 것은

과수의 재배에는
적합하지 않은,
고도 1,200m의
폐업한 스키장에
혼자 살기 시작했다.

オオ

소년이
17세였을
때─

オ

オ

사들인 곳은
'**히가시카타
프루트 팔러**'
였다.

소년은 매년—
히가시카타 프루트
팔러만을 위해
과수의 재배와
연구에 전념했다.

이후—

제4대
"**히가시카타
노리스케**"
만을 위해.

쿡

쿨럭

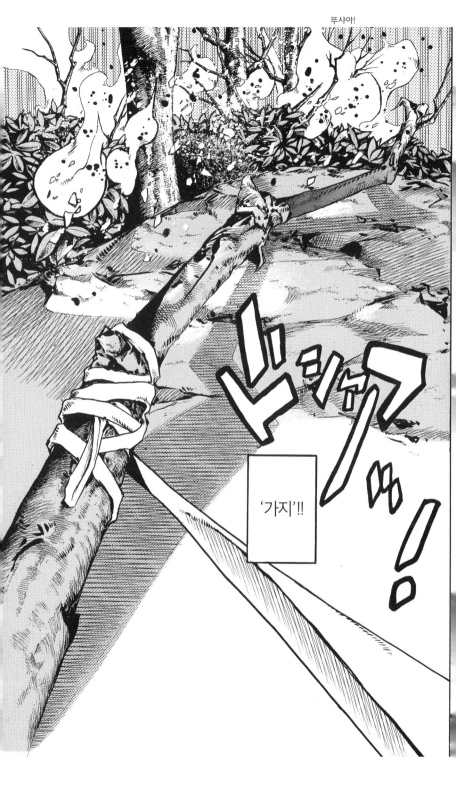

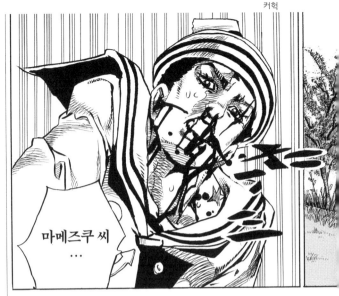

여기서 저게… 보이니? 드디어 나타났어.

츠루기…

봐… 봐라…

허억 허억 허억

허억

허억

모두가… 가압당하고 있어.

크윽

하지만 이중 누군가가 '가지'를 회수할 거야!

식물 감정인이다! 죠스케도 있어!

도도도도

뿌득 뿌득 뿌득 뿌득

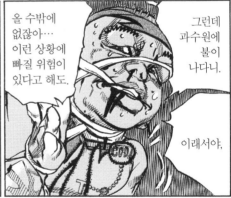

뿌드득 뿌드득

묻혀 있을 때는 사정거리가 100m인 만큼 느슨한 공격이다.

내 스탠드… '오존 베이비'를

날 건드릴 땐 각오를 하고 건드려야지.

땅속에서 다시 파냈다.

단번에 치솟아 오를 거다!!

하지만… 지금 넌 날 직접 건드렸어. 이 가압의 수치는

우오오

오

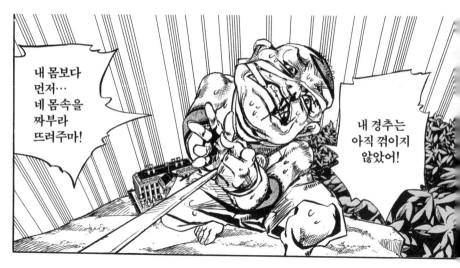

고오!!

히가시카타
가의
과수원에는
'주목朱木'
나무가
자라고 있지.

신사
제례에
그 잎과
가지를
쓰거든.

로카
카카의
'가지'를
주목 가지와
'접목'시키지
않은 게
죠스케… 네겐
행운이었어.

로카
카카
가지가
주목과
접목된 게
아니라
다행이야.

특히
'종자'를
삼켰다간
큰일나지.

이건 맹독이야.
내장에 심각한
손상을 입혀.

이 비눗방울의 벽은

비눗 방울…

'결계', 나는 그 안쪽에 있어…

안쪽의 기압은 급속히 감압!

비눗 방울이 터지면

쩌억 쩌억

쩌어억!

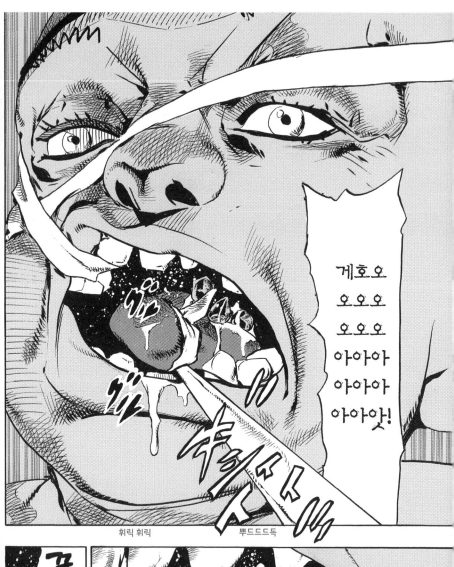

게호오
오오오
오오오
아아아
아아아
아아앗!

휘릭 휘릭

뿌드드드득

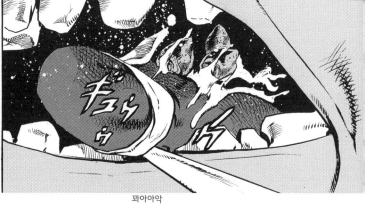

꽈아아악

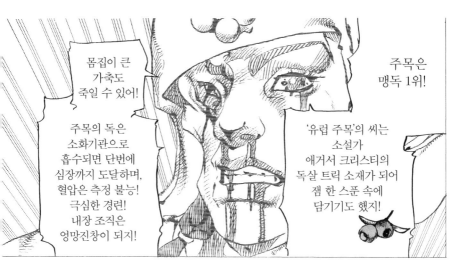

주목은
맹독 1위!

몸집이 큰
가축도
죽일 수 있어!

주목의 독은
소화기관으로
흡수되면 단번에
심장까지 도달하며,
혈압은 측정 불능!
극심한 경련!
내장 조직은
엉망진창이 되지!

'유럽 주목'의 씨는
소설가
애거서 크리스티의
독살 트릭 소재가 되어
잼 한 스푼 속에
담기기도 했지!

주룩   뿌직

마메즈쿠
씨!

고오

식물
감정인의
패배다.

'가지'!

푸어 톰이
과수원에서
달아난다.

로카카카
'가지'를
도둑
맞겠어!

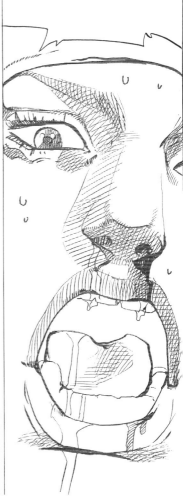

두우우웅

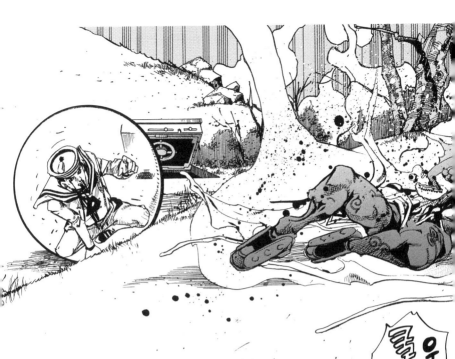

저 사이렌
소리는…

쿨럭…

그나저나
저 차량들의
창문 —

위장에
들어간 건…
주목 씨의
즙이었나
…

세척해
달라고
하면
되겠어.

늦게도
오는군.
그리고
병원에서
구급차도
오겠지.

소방차다.

그야…
오겠지…

불이
났으니까
말야~

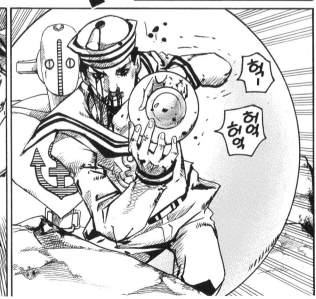

푸슈웅

#076
오존 베이비의
가압加壓 ④

우직 우직

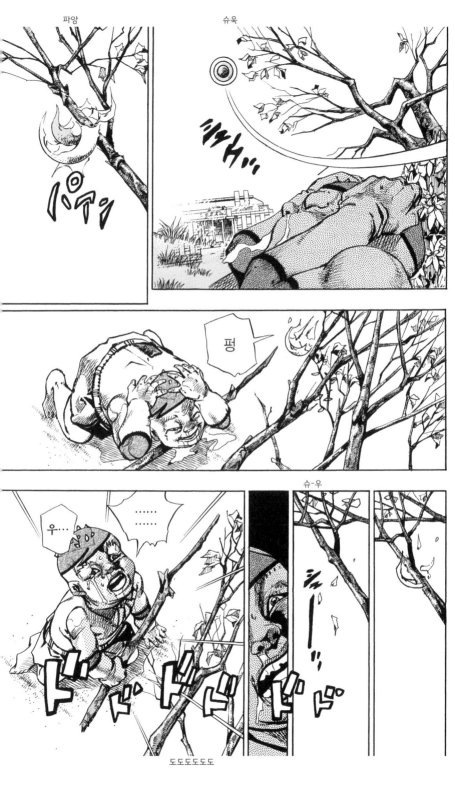

도도도도도

후드득

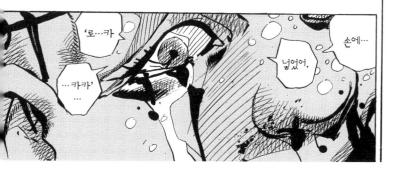

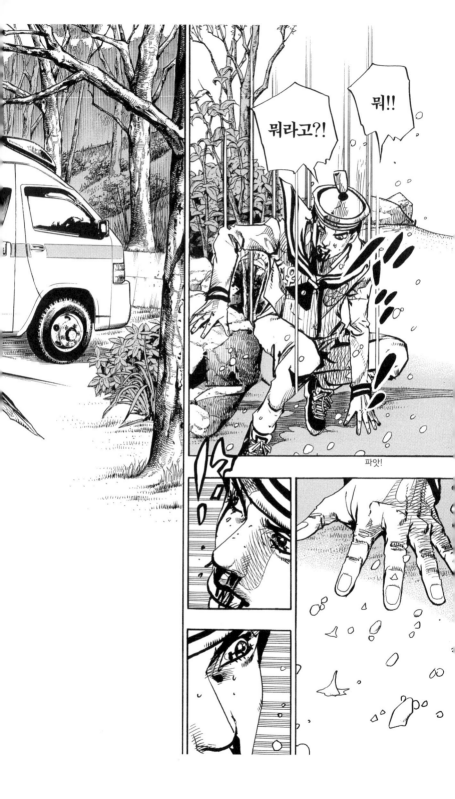

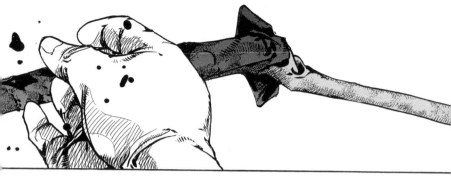

땡그라아앙

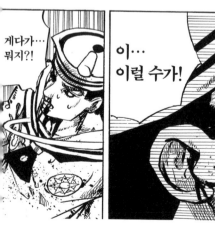

게다가…
뭐지?!

이…
이럴 수가!

고…
공격?!

?!!

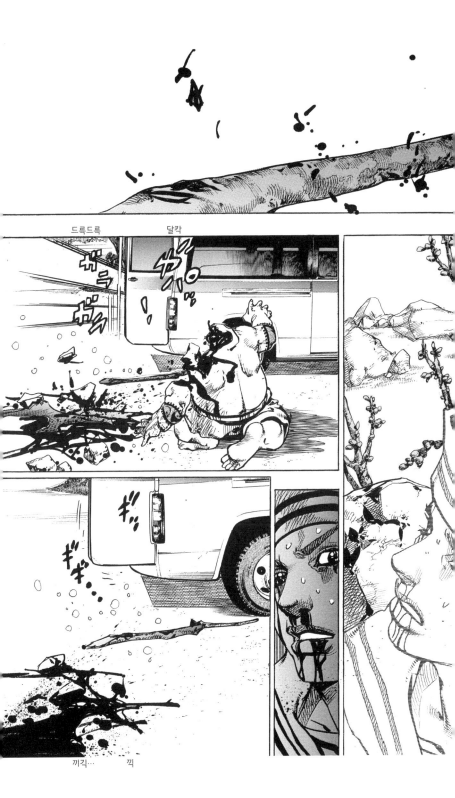

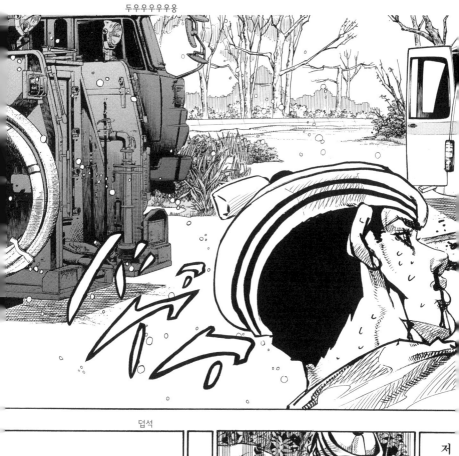

부우우웅　　　　　후드득후드득　　　　타앙

'가지'만
회수하는 게
목적이야!

왱-왱-왱-　　　　　　　　　　타앗

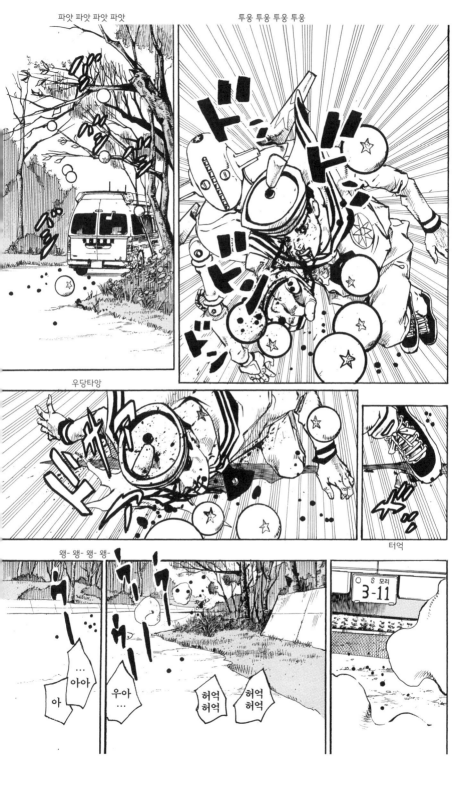

로카카카의
'가지'를…
빼…
빼앗겼다…

고오오오오오

도도도

姫

츠루기!

츠루기!

그리 가면 안 돼… 불은,

과수원의 불은 내버려둬라!

허억 허억

허억

허억 허억

괜찮니?! 츠루기…

어디… 다친 데는 없고?

왱- 왱-

이
상황은…
그…
'히가시카타
죠스케'는…

'푸어 톰'도…
방금…
궁지에 몰려
도망쳐
나왔고
…

이 '가지'를
빼앗은
푸어 톰을
끝까지
쫓아왔지…

의심 없이
믿고 있었던 건
물론이요…
필사적이었던 것도
확실해…

……

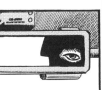

우직

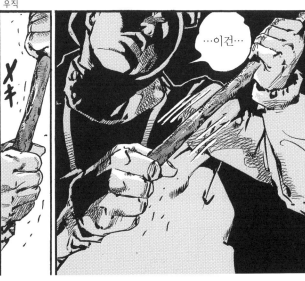

…이건…

뿌직 뿌직

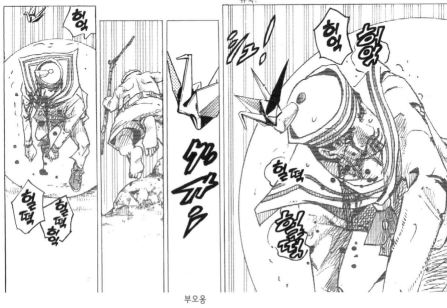

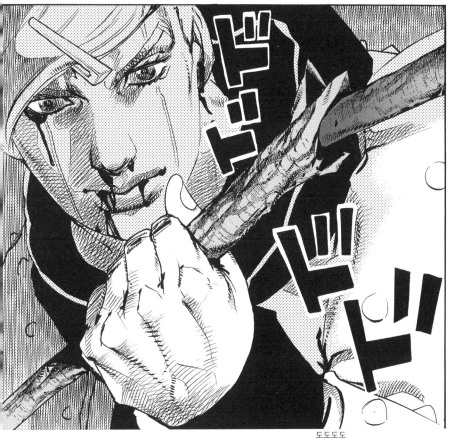

원래
선인장류의
'접목'은
생장 속도가
빠르지만

이 '가지'
안쪽에
특수한
'벌레'를
심어뒀어.

'푸어 톰'의
가압에 당하긴
했지만

대단한
녀석
이었어…
이건
'벌레'야.

아버지의
'식물
감정인'…

봐라,
이
'가지'를.

벌써
'로카카카 가지'와
왕가시선인장이
융합됐어…
혹시 모르니
다시 한번
접착제를
발라두자.

꽃의 경우긴
하지만,
기간티아와의
접목으로 14일
만에 꽃이 핀
기록이 있지.

이대로라면
상당히 빨리
'열매'를 수확할 수
있을 것 같다.

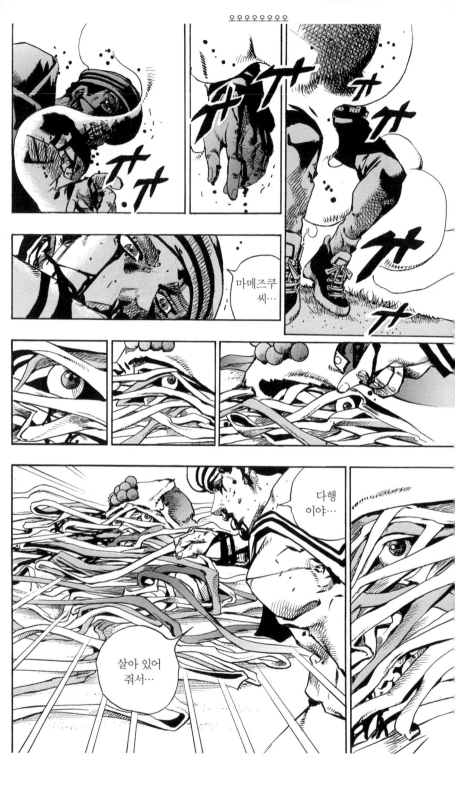

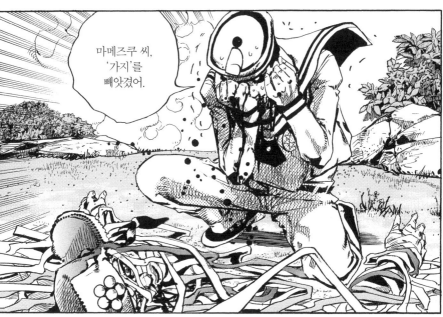

마메즈쿠 씨,
'가지'를
빼앗겼어.

되찾지
못했어…

#077 TG대 병원에 가다

어디에도
발표되지 않은
사실이긴
하나…

의학적…
혹은
약학적
으로

보르네오섬

20세기 말에
파푸아뉴기니의
고지대에서 발견된
희귀 식물
'로카카카'는

적도

비스마르크제도

술라웨시

뉴브리튼섬

"약"으로써
효능이 있다.

아넘랜드반도

고장난
오른쪽
어깨를

머리 쪽
아래턱과
교환해

이번 시즌
연봉 6억 엔의
선수가 됐다.

세이텐버디즈 소속 투수인
아 군은 오른쪽 어깨가
고장나는 바람에
재기 불능이라는
구설수에 오르며
은퇴의 위기에 몰렸지만,
"로카카카" 열매를 먹고

와- 와- 와-

그것은
"신新
로카카카"…

그 '가지'를
불이 난 과수원에서
빼돌린 것은
"누구"일까?!

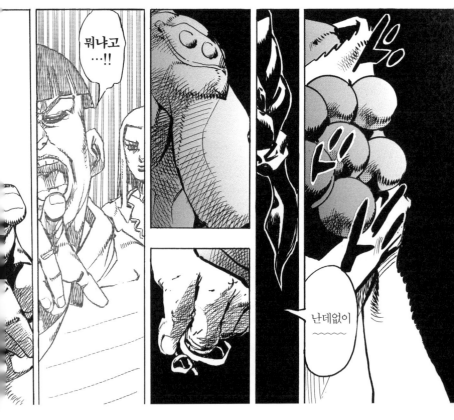

뭐냐고
…!!

난데없이
〜〜

'로카카카'
가지를
갖고 갔어.

"구급차에 타고
있던 누군가"가

그 녀석의
얼굴은
못 봤지만

바위 인간
얘기다.

......

허억
허억

허억

허억,
허억

죠스케…

구급차에 타고 있던 녀석이…

……

그건…? 확실한 건가?…

"'가지'를 갖고 갔다" …는 건,

그럼 '범인'을 추적하긴 어렵지 않아.

대학 병원 쪽 소방서 관할이거든.

우리집에 오는 구급차는.

맞아요. 2인조였죠.

구급차에 타고 있던 '누군가'가 빼앗아 갔어요.

'가지'를 빼앗기는 걸 봤다는 건 너뿐이야.

정말로 구급차에 타고 있던 녀석이 '로카카카'를 갖고 간 거 맞지?

'확실한' 거냐뇨, 그게 무슨 뜻이죠?

그것이 "로카카카"를 되찾을 타임 리미트지. 가지에서 열매가 완전히 열린 뒤에는

목적과 상황을 공유하고 싶군. 설명하자면…

'로카카카의 가지'는 짧으면 열흘 안에 열매를 맺기 시작할 거다.

열매가 열리는 과일나무 같은 게 어디 있어!

식물 감정인!! 꼴랑 열흘 만에

성장 속도가 말이 안 되잖아, 멍청아!!

로카카카 열매는 가공될 테니까.

회수가 불가능해져.

뭐야 그게?

새로운 사업?

불탄 땅을 이용해 새로운 사업을 하는 거야. …그럼 히가시카타가 과수원도 놀려둘 일 없어.

새 과일 나무가 성장해 자랄 때까지…

모두가 안심할 만한 아이디어가 있어.

나한테 물어 보셔 ~!

내가 누구야, 믿음직한 히가시카타가의 차남이란 말씀.

모리오초엔 별장 가진 부자들이 많으니까

분명 신이 나서 앞다퉈 돈을 낼 거야!

과수원에서 "송이버섯 캐기" 투어—!

이파리 아래에 그럴듯한 걸 너덧 개쯤 갖다두면 돼.

중국산 이면 충분해—

그걸 찾는 투어란 말씀!

우리 땅 '어디에 송이버섯' 같은 게 나는데?

송이버섯 캐기?

내 말
안 들려?
오빠!

오빠!

죠슈
오빠!

봄에는
'죽순 캐기
투어'를
하자.

미스터리와
로망과
별장지!

레서판다도
키우고
카트 트랙도
만들고.

엥!
다들
가버렸어.

어…
어디
갔어?

뭔데?
……?
다이야.

잠깐만,
죠스케
…

아빠~
하토
누나~

내 말 좀
들어봐~

하지만
난 좋아♡
오빠
응원할게!

젊을 때는
인정받지
못하는 게
히가시카타가의
전통이잖아—

푸어 톰이
아냐.

……
……

과수원에
불을 낸 범인
말인데

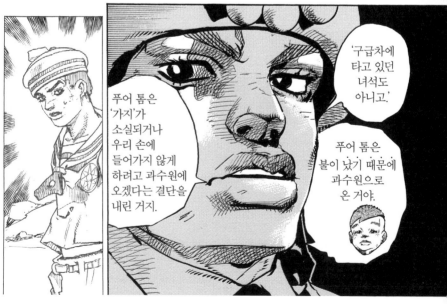

'구급차에
타고 있던
녀석도
아니고.'

푸어 톰은
'가지'가
소실되거나
우리 손에
들어가지 않게
하려고 과수원에
오겠다는 결단을
내린 거지.

푸어 톰은
불이 났기 때문에
과수원으로
온 거야.

범인은
"죠빈"이다.

방금 전
온 가족이
모였을 때
깨달았어.

누가
불을
냈다는
건데?

푸어 톰이
아니라니…?
그럼
마메즈쿠 씨,

"죠빈"이
과수원에
불을 낸 거야.

뭐라고…

그 장남은
신뢰할 수
없어.

증거는 없어.
하지만 무언가
일어난 건
분명해…

가지도 빼앗겼고!
죠빈도 문이나
창문 밖으로
조금이라도 나오면
즉사인
상황이었다고.

"죠빈"…
그 장남은 분명
노리스케 씨와는
생각이 달라.

그렇다고 해서
'로카카카'
가지를
불태우려 들지는
않을 거야.
오히려 탐낼걸.

죠빈이
'방화'한 거야.
대화와 태도로
깨달았어.

게다가…
푸어 톰의 공격은
히가시카타가의
모두가 표적이었어!
건물 밖으로
나오면
죽었을 거야.

부우우우우웅

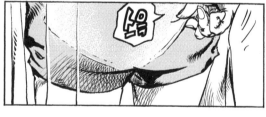

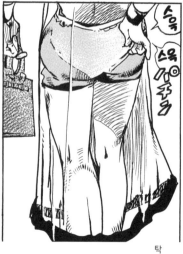

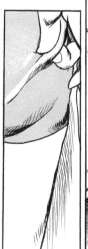

탁

타앙

타악

히가시
카타
미츠바
님~

붕 떵

히가시카타
미츠바 님~

네♡

왼쪽은 들려요. 분명 알레르기로 인한 아나필락시스일 거예요. 숨이 멈춰서 오늘 아침엔 기절했어요.

안 들리는 건 오른쪽 귀예요…!

귀는 들리시는 것 같은데요…

어디 볼까요.

시트 젖히겠습니다.

위이이이이이이이

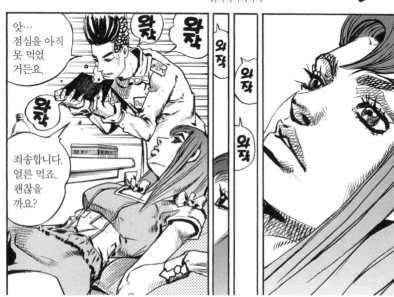

앗… 점심을 아직 못 먹었거든요.

와작 와작

와작

와작

와작

죄송합니다. 얼른 먹죠. 괜찮을까요?

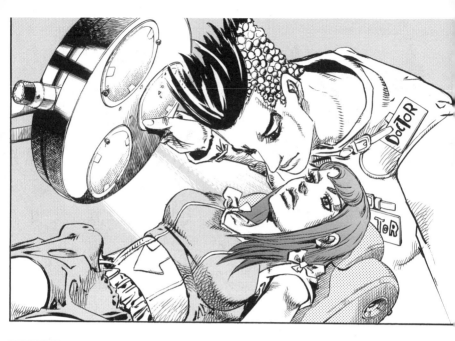

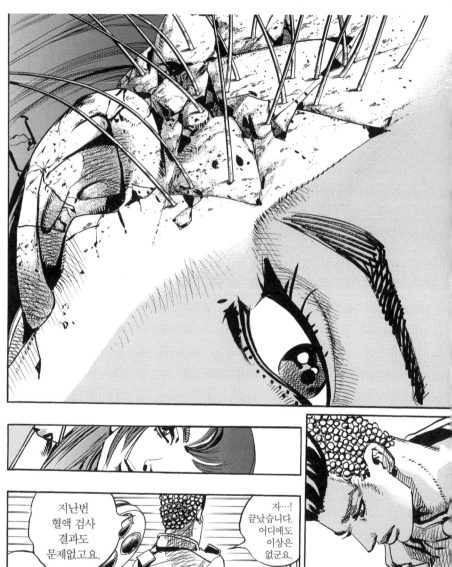

음!!

오른쪽 귀가 하나도 안 들려요! 오늘 아침엔 경련하다가 쓰러져 기절했고요!

ガ ガ ガ

점심을 거르는 바람에…

다시 실례 좀 하겠습 니다…

팬찮을 까요?

왁짝 왁짝

안 들린다고 착각하고 계실 뿐입니다.

그래도 혹시 모르니 평소 드시는 아토피 약은 처방해드리죠.

히가시 카타 씨.

히가시 카타 씨 귀는 잘 들려요.

가슴이…

유방이 처지기 시작해서…

맨 처음 제가 이 병원에 온 건…

왁짝 왁짝 왁짝 왁짝

몹시 특별한 치료인데다 법률로 인정되지도 않고 알려지지도 않았기 때문입니다.

지금까진 다른 어떤 환자분에게도 권한 적 없습니다.

의학적으로 그 어떤 기술보다도 새롭죠.

따라서 대단히 비싸답니다.

2억 엔입니다.

애당초 처음부터 가격 같은 건 상관없었어요…

돈이라면 있어요.

"1회" 가격입니다.

그리고 결정하는 건 히가시카타 씨 입니다. 치료는 수납하시는 대로 시작하죠.

건강에 아무 문제도 없으십니다.

다시 한번… 분명히 말씀 드리지만… 히가시카타 씨는

과수원 화재

NEWS

고가의 과수 600그루 소실

히가시카타 프루트 팔러의 땅 5,000평

고오오오

과수원 화재

NEWS

두우우우웅

과일 업계
전국 2위인
히가시카타
프루트 팔러의
과수원 화재로

......

부지 내
과수원은 전소됐지만
어젯밤 불길은
잡혔습니다.
화재 원인은 아직
밝혀지지 않은
상태로…

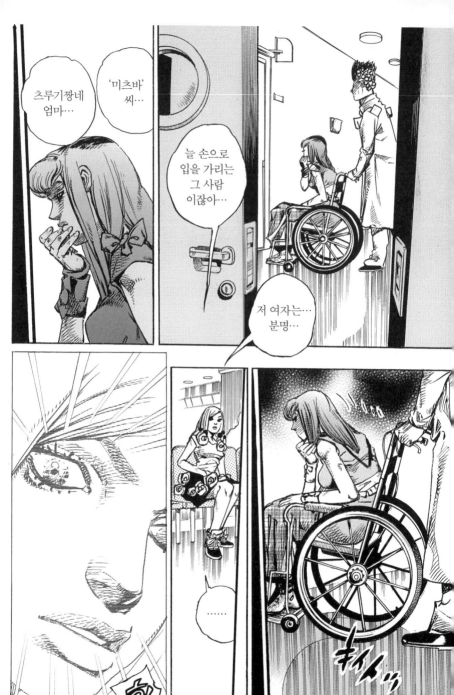

끼이익

쿠웅

로카카카 열매―수확까지

[10일 19시간 06분]

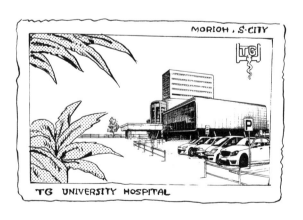

MORIOH, S·CITY

TG

TG UNIVERSITY HOSPITAL

#078 정형외과 의사 ― 우 토모키 선생

타앙!

…
…!
……!

드르륵드르륵 드르륵드르륵 드르륵드르륵

미?!
미츠바 씨!!

드르륵드르륵

정형외과
외래

타악!

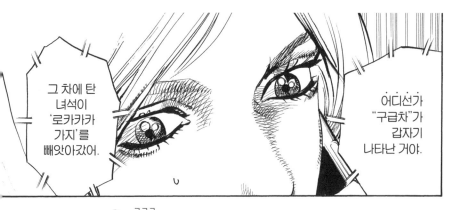

그 차에 탄 녀석이 '로카카카 가지'를 빼앗아갔어.

어디선가 "구급차"가 갑자기 나타난 거야.

고고고

과수원에 몇 대인가 감시 카메라가 있었거든.

야스호쌍, 지금 사진을 보낼게.

봐둬.

그 녀석을 찾고 있어. '적'이야.

고고

고고

고고

고고고고고

미츠바 씨
두 다리의 피부가
부스러질 듯
갈라져 있어서

'버석버석'해
보였어…

죠스케
…
경고해라.

야스호
짱…!!

잘
들어…!

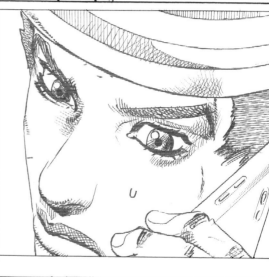

…'의사'는

휠체어를 밀고 방에 들어간 의사는 어디 갔지?

어라 …?

……

뚜벅

뚜벅

뚜벅

뚜벅

힐끗

조…

좀전에 본 건…?

두 다리가…
부스러질 듯이
갈라지고
버석버석했는데…
게다가 휠체어…

하지만
한순간
이었어…
거리도
멀었고,
롱스커트
였고.

의사는
어딨지?

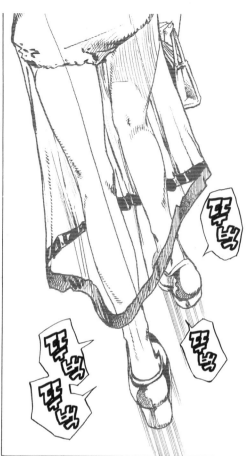

뚜벅
뚜벅
뚜벅
뚜벅

멈칫

으미끽

뚜벅
뚜벅
뚜벅
뚜벅

두근두근

두근두근

그 두 다리…

제가 봤을 때는… 분명! …분명…

휠체어에 앉아 계실 때!

미츠바 씨가 도저히 일어나 걸을 수 있는 상태로는 보이지 않았어요!

그게 무슨?

응?

내 다리?

내 다리가 어때서?

두피
알레르기
문제가 있긴
했지만…
봐봐…

약간의

난
건강해…

건강 검진에선
아무 데도
안 좋은 데는 없던데.
여기까지
운전도 했고
걸어서도 왔어.

ㄱㅁ쌰 ∞∞

스윽…

이 진료실
안에는
휠체어가
없는데요
…

실려오신
휠체어는
어디 있죠?

휠체어…

미츠바
씨…

지금은
이미…
알레르기도
가라앉고
다 나았어.

나…

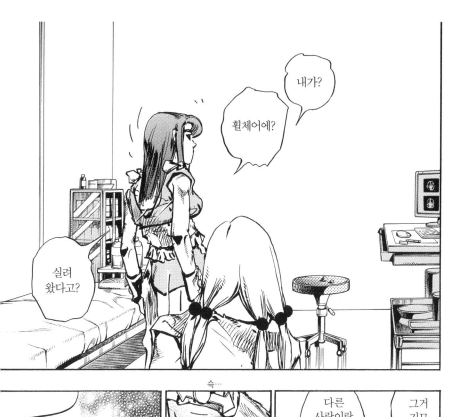

슥…

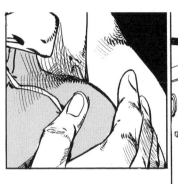

어때…?

감축
말야.

그리고
볼륨.

네…?!

야스호 씨는
지금 열아홉
이었던가?

난 "풍만한
가슴을 위해"
이 병원에
왔어…
수술 같은 건
아니지만
말야.

굉장하지?
내 생각에는
10대 때랑
비교해도 전혀
손색없어.

죠빈 씨한테도
비밀이야.

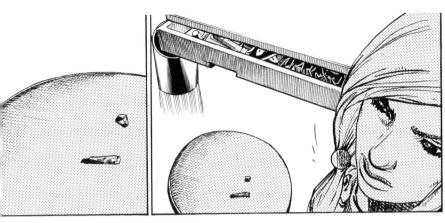

......

설마…
진짜?
기억이
안 나세요?

......

우
선생님
…

정말이네…
어디 가신
걸까?

뭔가
기억해
내시려는
건가요?

…
미츠바
씨…

여기 온
다음…
그리고
가만—

내가 우
선생님을
만났
던가?

나…
주차장에서
걸어와
엘리베이터
타고서

움푹 움푹

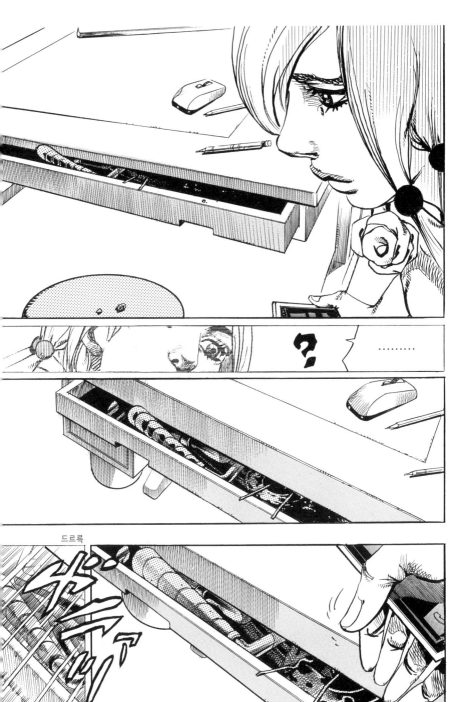

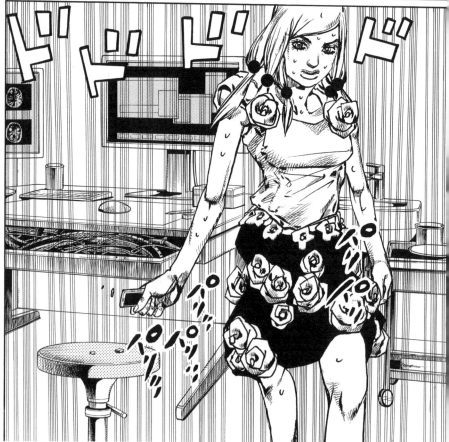

꿀럭 꿀럭 꿀럭

옮긴이 **김동욱**

홍익대학교 출신. 게임 및 IT 기술 번역으로 2000년대 초 번역과 연을 맺었다.
이후 애니메이터 등 다방면으로 서브컬처 업계에 종사하다가 출판번역에 입문하여
현재는 전업 번역가로 활동하고 있다. 옮긴 책으로는 『스톤 오션』 『스틸 볼 런』 등이 있다.

죠죠의 기묘한 모험 Part 8

죠죠리온
제19권 정형외과 의사 ─ 우 토모키 선생

초판인쇄	2025년 3월 21일
초판발행	2025년 3월 28일
지은이	아라키 히로히코
옮긴이	김동욱
책임편집	조시은
편집	김지애 이보은 김지아 김해인
디자인	백주영
마케팅	정민호 서지화 한민아 이민경 왕지경 정유진 정경주 김수인 김혜원 김예진 나현후 이서진
브랜딩	함유지 박민재 이송이 김희숙 박다솔 조다현 김하연 이준희
제작	강신은 김동욱 이순호
원화수정	윤정아
펴낸곳	㈜문학동네
펴낸이	김소영
출판등록	1993년 10월 22일 제2003-000045호
주소	10881 경기도 파주시 회동길 210
전자우편	comics@munhak.com
대표전화	031-955-8888	팩스 031-955-8855
ISBN	979-11-416-0920-7 07830 978-89-546-8211-4 (세트)
인스타그램	@mundongcomics
트위터	@mundongcomics
페이스북	facebook.com/mundongcomics
카페	cafe.naver.com/mundongcomics
북클럽문학동네	bookclubmunhak.com

www.munhak.com